RATUS POCHE

COLLECTION DIRIGÉE PAR JEANINE ET JEAN GUION

❧

Le cadeau de Mamie Ratus

Les aventures de Mamie Ratus

- Le cadeau de Mamie Ratus
- Les parapluies de Mamie Ratus
- La visite de Mamie Ratus
- Le secret de Mamie Ratus
- Les fantômes de Mamie Ratus

© Hatier Paris 2003, ISSN 1259 4652, ISBN 2-218 74365-5

Le cadeau
de Mamie Ratus

Une histoire de Jeanine et Jean Guion
illustrée par Olivier Vogel

HATIER

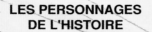

LES PERSONNAGES
DE L'HISTOIRE

Mamie Ratus
la grand-mère du rat vert

Ratus
l'affreux rat vert

Marou et Mina
qui aiment rire et jouer

Comme tous les jours, Ratus compte ses fromages. Mais aujourd'hui, il téléphone aux gendarmes :

– Je porte plainte. On m'a volé trois fromages.

– Des gros ? demande le gendarme.

– Non, des petits ! précise Ratus.

Le gendarme raccroche en riant, comme si l'histoire de Ratus était une plaisanterie.

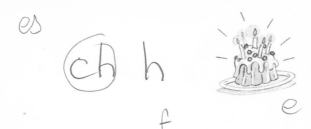

Aussitôt, Ratus téléphone à sa
grand-mère.

– Hou, hou ! pleurniche le rat vert, on
me vole mes fromages, mamie...

– Ne pleure pas, mon petit ratounet,
répond Mamie Ratus. Comme c'est
bientôt ton anniversaire, je t'offre un
chien méchant pour garder tes fromages.
Va vite l'acheter.

– Merci, mamie, dit Ratus.

Où est le bon dessin ?

Le rat vert saute sur sa moto et part
pour Ville-Ratus.

Il entre chez un marchand de chiens
méchants. En voyant Ratus, les chiens
écument de rage. Ils veulent défoncer 5
leur cage pour le manger. Le rat vert
sort du magasin en courant.

Il a eu très peur.

11

Ratus s'approche d'un charmeur de serpents.

– J'achèterais bien votre serpent à sonnettes pour garder mes fromages, dit le rat vert au vieil homme.

– Il faut savoir le charmer ! dit celui-ci. Essayez. Et il lui tend sa flûte. Ratus la prend et souffle dedans de toutes ses forces.

Que fait Ratus dans l'histoire ?

Un son aigu sort de l'instrument et ₉
fait sursauter le serpent qui dansait
paisiblement, à moitié endormi. ₁₀
Furieux d'avoir été dérangé, l'animal
se redresse et plonge sur le rat vert qui
détale. ₁₁
– Il est sensible, dit le vieil homme. ₁₂
Mais vous ne craignez rien : il a mangé
une grosse souris hier soir...

Ratus décide alors de faire garder ses fromages par des araignées venimeuses. 13
Il entre chez un marchand de petites bêtes et demande de grosses araignées velues, bien noires et qui mordent. 14
Un vendeur apporte une grande boîte pleine d'araignées noires avec des taches rouges.

Que se passe-t-il,
dans l'histoire ?

▷ EST-CE QUE RATUS A PEUR DES ARAIGNÉES ?

20. OUI ___

21. NON ___

– Elles feront peur à vos voleurs, dit le marchand.

– Et moi, elles vont me reconnaître ? demande Ratus.

– Je ne sais pas, répond le marchand. Approchez votre main...

Une grosse araignée saute sur la main de Ratus et monte le long de son bras. Le rat vert pousse un hurlement et quitte 15 le magasin à toutes jambes.

Qu'est-ce que Mamie Ratus envoie à Ratus ?

Quelques jours plus tard, le facteur apporte trois paquets au rat vert.

– C'est un chien de garde, dit Ratus. C'est ma grand-mère qui me l'envoie.

– Il est en morceaux, ton chien ? demande le facteur d'un ton moqueur.

Ratus ne répond pas et s'enferme chez lui.

**Qu'arrive-t-il quand Ratus
pousse la porte de sa maison ?**

 **25** Un fantôme crie et éclaire la maison.

 **26** Un chien aboie et lance des éclairs.

 **27** La télévision s'allume toute seule.

Le lendemain, le rat vert raconte à ses amis :

– Ma grand-mère m'a offert un chien pour garder mes fromages. Il aboie très fort et il lance des éclairs. Vous allez voir…

Ratus pousse la porte de sa maison. Aussitôt, on entend des aboiements terribles et l'on voit des éclairs derrière les fenêtres.

Quel est le chien de Ratus ?

Voilà maintenant dix minutes que le chien hurle comme un furieux.

– Il doit être mal réglé ! explique Ratus. 16

– Un chien mal réglé ? demandent Marou et Mina, très étonnés.

– Oui, c'est un robot-chien ! dit Ratus en sortant un tournevis de sa poche. 17 Mamie Ratus a dû le régler pour les voleurs de gros fromages.

1

les **gendarmes**
(on prononce :
jan-dar-me)

2

je porte **plainte**
(on prononce : *plin-te*)
Porter plainte, c'est se
plaindre aux
gendarmes pour qu'ils
fassent une enquête.

3

il **pleurniche**
Il se plaint, en
pleurant un peu.

4

un **anniversaire**
(on prononce :
a-ni-vèr-sè-re)

5

ils **écument de rage**
Ils sont tellement en
colère et ils aboient
tellement qu'ils ont de
la bave autour du
museau.

défoncer
Ils veulent casser leur
cage.

6

un **serpent à sonnettes**

7

un **vieil homme**
(on prononce : *viè-io-me*)
C'est un homme très vieux.

8

essayez
(on prononce : *é-sè-ié*)

une **flûte**

9

un **son aigu**
C'est une note très haute, qui siffle.

10

paisiblement
D'une manière calme.

11

il **détale**
Il se sauve en courant.

12
sensible
Le serpent n'aime pas les bruits forts.

13
venimeux
Des araignées **venimeuses** ont du venin, du poison.

14
velu
Des araignées **velues** ont beaucoup de poils.

15
un **hurlement**
C'est un cri très, très fort.

16
explique
(on prononce : *èks-pli-que*)

17
un **tournevis**

Les aventures du rat vert

1 Le robot de Ratus
3 Les champignons de Ratus
6 Ratus raconte ses vacances
8 Ratus et la télévision
15 Ratus se déguise
19 Les mensonges de Ratus
21 Ratus écrit un livre
23 L'anniversaire de Ratus
26 Ratus à l'école du cirque
29 Ratus et le sapin-cactus
36 Ratus et le poisson-fou
1 Ratus chez le coiffeur
2 Ratus et les lapins
9 Ratus aux sports d'hiver

13 Ratus pique-nique
23 Ratus sur la route des vacances
27 La grosse bêtise de Ratus
38 Ratus chez les robots
8 La classe de Ratus en voyage
12 Ratus en Afrique
16 Ratus et l'étrange maîtresse
26 Ratus à l'hôpital
29 Ratus et la petite princesse
31 Ratus et le sorcier
33 Ratus gardien de zoo

Les aventures de Mamie Ratus

7 Le cadeau de Mamie Ratus
3 Les parapluies de Mamie Ratus
8 La visite de Mamie Ratus

31 Le secret de Mamie Ratus
5 Les fantômes de Mamie Ratus

Ralette, drôle de chipie

10 Ralette au feu d'artifice
11 Ralette fait des crêpes
13 Ralette fait du camping
18 Ralette fait du judo
22 La cachette de Ralette
24 Une surprise pour Ralette
28 Le poney de Ralette

38 Ralette, reine du carnaval
4 Ralette n'a peur de rien
6 Mais où est Ralette ?
20 Ralette et les tableaux rigolos
11 Ralette au bord de la mer
34 Ralette et l'os de dinosaure

Les histoires de toujours

- 27 Icare, l'homme-oiseau
- 32 Les aventures du chat botté
- 35 Les moutons de Panurge
- 37 Le malin petit tailleur
- 26 Le cheval de Troie
- 32 Arthur et l'enchanteur Merlin

- 36 Gargantua et les cloches de Notre-Dame
- 21 L'extraordinaire voyage d'Ulysse
- 27 Robin des Bois, prince de la forêt
- 36 Les douze travaux d'Hercule

Super-Mamie et la forêt interdite

- 39 Super-Mamie, maîtresse magique
- 37 Le mariage de Super-Mamie

L'école de Mme Bégonia

- 11 Drôle de maîtresse
- 14 Au secours, le maître est fou !
- 16 Le tableau magique
- 25 Un voleur à l'école
- 33 Un chien à l'école

La classe de 6^e

- 14 La classe de 6e et les hommes préhistoriques
- 17 La classe de 6e tourne un film
- 24 La classe de 6e au Futuroscope
- 30 La classe de 6e découvre l'Europe
- 35 La classe de 6e et les extraterrestres

Achille, le robot de l'espace

- 31 Les monstres de l'espace
- 33 Attaque dans l'espace
- 34 Les pirates de l'espace
- 19 Les pièges de la cité fantôme

Baptiste et Clara

30 Baptiste et le requin

35 Baptiste et Clara
contre le vampire

37 Baptiste et Clara
contre le fantôme

40 Clara et la robe de ses rêves

22 Baptiste et Clara contre
l'homme masqué

32 Baptiste et le complot
du cimetière

Les enquêtes de Mistouflette

9 Mistouflette et le trésor
du tilleul

30 Mistouflette sauve les poissons

34 Mistouflette
contre les chasseurs

5 Mistouflette
et les tourterelles en danger

24 Mistouflette enquête au pays
des oliviers

1 Mistouflette
contre les voleurs de chiens

7 Mistouflette et la plante
mystérieuse

Hors séries

2 Tico fait du vélo

4 Tico aime les flaques d'eau

5 Sino et Fanfan au cinéma

12 Le bonhomme qui souffle
le vent

7 Mon copain le monstre

19 Le petit dragon qui toussait

28 Nina et le vampire

2 Les malheurs d'un pâtissier

3 Karim et l'oiseau blanc

4 Timothée et le dragon
chinois

6 Le facteur tête en l'air

9 Romain, graine de champion

10 Le trésor des trois
marchands

15 Une nuit avec les dinosaures

Conception graphique couverture : Pouty Design
Conception graphique intérieur : Jean Yves Grall • mise en page : Atelier JMH

Imprimé en France par Pollina, 84 500 Luçon - n° 88734
Dépôt légal n° 30588 - Janvier 2003